PETER TURRINI

ALPENGLÜHEN

EIN STÜCK

LUCHTERHAND LITERATURVERLAG

Lektorat: Klaus Siblewski
Copyright © 1992 by Luchterhand Literaturverlag GmbH,
Hamburg und Zürich
Alle Rechte vorbehalten
Umschlagentwurf: Max Bartholl
Satz: KCS GmbH, Buchholz/Hamburg
Druck: Ebner Ulm
Gedruckt auf: »Alster Werkdruck« h'frei, geglättet, chlorfrei,
pH-neutral, alterungsbeständig
Steinbeis Temming Papier GmbH, Glückstadt
ISBN: 3-630-86799-5

ALPENGLÜHEN

Die Personen dieser Geschichte

DER BLINDE, ca. 70 Jahre
JASMINE, ca. 50 Jahre
DER JUNGE, ca. 20 Jahre
EIN TIROLER BERGFÜHRER
20 SINGENDE TOURISTEN (unsichtbar)

1.

*Alles ist finster da oben, man kann überhaupt nichts
erkennen. Finster und still. Nach einiger Zeit beginnt
sich das Auge des Zuschauers an die Finsternis auf der
Bühne zu gewöhnen und nimmt erste Konturen wahr:
Da liegt ein Mensch in der Mitte der Bühne, auf dem
Boden, unbeweglich, nackt. Verstreute Kleidungsstücke
liegen um ihn herum. Links, am Rande der Bühne, steht
ein Bett, und neben dem Bett steht ein Koffer oder eine
Tasche. Nichts rührt sich, und es ist ganz still. Es wird
eine kleine Spur heller (oder haben sich die Augen der
Zuschauer an die Finsternis gewöhnt?). Der nackte
Mensch in der Mitte der Bühne ist ein dünner, alter
Mann, ganz in sich verschlungen. Auf dem Bett am
Rande der Bühne liegt auch ein Mensch, man kann ihn
nicht erkennen, er ist mit einer Decke vollständig zuge-
deckt. Das Bett ist ein altes Campingbett.
Ein Lichtstrahl, erster Vorbote einer aufgehenden Sonne,
fällt auf die Bühne, der nackte alte Mann hebt langsam
seinen Kopf, lauscht, berührt mit den Händen seinen
unbedeckten Körper, wird sich seiner Nacktheit bewußt
und zieht die verstreuten Kleidungsstücke zu sich heran.
Er setzt sich eine Brille mit schwarzen Gläsern auf und
zieht sich im Sitzen an: zuerst die lange Unterhose, dann*

die Kniestrümpfe, dann das Unterhemd, das Hemd, eine Hose, dann bindet er sich eine Krawatte, dann zieht er sein Sakko an und zum Schluß die Schuhe. Das alles dauert seine Zeit, und die Sonne geht langsam auf.

Die Besucher dieses Stückes sehen einen Sonnenaufgang in den Bergen, von solcher Schönheit, wie man es nur aus Heimatfilmen oder von Hochglanzprospekten kennt. Das gleißende Licht der aufgehenden Sonne fällt in das Verandazimmer, durch eine Glasfront, welche sich über die gesamte hintere Bühnenwand erstreckt, und hinter dieser Glasfront ragen die Berge empor, und zwischen zwei Bergspitzen steigt die blutrote Sonne höher und höher.

Außer einem großen Spiegel, einem Trachtenhut und einer Petroleumlampe hängt nichts an den Wänden des Verandazimmers. Links und rechts Türen, die offensichtlich in andere Räume führen. Das Verandazimmer, die wenigen Gegenstände, aber auch der Anzug des alten Mannes machen den Eindruck, als würden sie aus einer anderen Zeit stammen: aus den vierziger oder fünfziger Jahren.

Der alte Mann ist angezogen und steht auf. Er schaut zum Campingbett, auf welchem sich ein zugedeckter Mensch befindet, hält seinen Kopf schief und lächelt. Er geht, seine Hände leicht von sich gestreckt, langsam zu einer Tür, öffnet sie und verschwindet in einem Nebenraum. Der Mensch auf dem Campingbett dreht sich hin und her und stöhnt im Schlaf. Rote Locken werden sichtbar.

Der alte Mann kommt mit einem Blecheimer voll Wasser und mit einigen Utensilien zurück ins Verandazimmer. Er stellt den Kübel ab, nimmt eine Zahnpastatube und drückt sich etwas Zahnpasta in den Mund. Er putzt sich die Zähne. Anschließend rasiert er sich mit Rasierpinsel, Rasierseife und Rasiermesser. Er kühlt sein Gesicht mit einem Rasierstein, wie man ihn früher verwendet hat. Er nimmt den Trachtenhut vom Wandhaken, stellt sich ungefähr einen Meter neben den Spiegel (nicht vor den Spiegel, sondern tatsächlich neben den Spiegel), starrt zur Wand und probiert den Hut. Es dauert einige Zeit, bis er mit dem Sitz des Hutes zufrieden ist. Er wendet sich zur Glasfront des Verandazimmers. Die Sonne steht am Himmel, und das Zimmer ist so von Licht erfüllt, daß der alte Mann, der nun mit dem Rücken zum Publikum steht und in die Sonne blickt, wie eine überirdische Lichtgestalt wirkt. Er breitet seine Arme aus, als wolle er den neuen Tag begrüßen wollen. Er läßt die Arme fallen, dreht sich um, nimmt den Trachtenhut von seinem Kopf, hängt den Hut an den Wandhaken, geht in die Mitte des Raumes, bleibt stehen, hält den Kopf schief und schaut ins Publikum. Stille.

DER BLINDE: *(mit einem Lächeln)*

Still und finster, wie immer.

Der Blinde steht und schaut ins Publikum. Nichts geschieht. Der Blinde lauscht. Ein junger Bauernbursche kommt aus einer der rechten Seitentüren ins Verandazimmer. Der Junge hat einen Korb mit Eßwaren in der Hand und stellt ihn ab. Der Junge geht zum Blinden, stellt sich neben ihn und schaut ebenfalls ins Publikum. Stille.

DER BLINDE:

Was gibt es Neues da unten?

DER JUNGE:

Alle Menschen sind glücklich und leben in Frieden. Freudig gehen sie ihren Beschäftigungen nach.

DER BLINDE:

Das ist schön.

Der Junge legt seinen Kopf an die Schulter des Blinden. Der Blinde streichelt den Kopf des Jungen. Der ganze Vorgang hat etwas Mechanisches an sich, als würde er immer wieder stattfinden. Stille.

DER BLINDE:

Auch ich habe etwas Schönes zu berichten. Ein Mensch ist angekommen, eine junge Frau.

Der Blinde zeigt mit seiner Hand in Richtung Campingbett. Der Junge geht zum Campingbett und betrachtet

die roten Locken. Er hebt die Decke. Eine ungefähr fünf-
zigjährige, etwas unförmige Frau in einem Tigerpelz-
mantel kommt zum Vorschein. Sie hat knallrotes Haar
und sieht, soweit man das erkennen kann, ziemlich ver-
kommen aus. Sie schläft und rührt sich nicht. Der Junge
starrt sie an.

DER BLINDE:

Erinnerst du dich an den Brief, den ich vor einigen Wochen schrieb und den du mir zur Post
brachtest? Vierzig Jahre, so schrieb ich an den
Blindenverband, habe ich pünktlich meine Bei-
träge bezahlt, ohne die geringste Hilfe, den
kleinsten Gegenwert in Anspruch zu nehmen.
Und wie oft, vom Anbeginn meiner Mitglied-
schaft bis zum heutigen Tage, wurde mir etwas
angeboten. War es damals ein Strauß getrockne-
ter Blumen, in ihrer Blüte von zarten Kinder-
händen gepflückt, für die Blinden getrocknet
und ihnen zur Weihnachtszeit als kleinen, trö-
stenden Gruß zugesandt, so ist es heute ein
stark ermäßigter, besonders preisgünstiger Auf-
enthalt im Blindenheim »Harmonie«, in welchem jedes Zimmer, ja selbst das Bad eine blin-
dengerechte Bauweise aufweist. So sorgte und
sorgt der Blindenverband für seine Mitglieder,
verwöhnt sie mit kleinen und großen Aufmerk-

samkeiten und verschafft ihnen Preisgünstiges jeglicher Art. Doch ich wollte damals keine getrockneten Blumen und ich will heute nicht in die »Harmonie«. Warum sollte ich einem anderen, einem Leidensgenossen, wegnehmen, was mir hier oben in so reichlichem Maße zuteil wird? Wozu brauche ich getrocknete Blumen, wenn der blaue Enzian, der rote Almrausch und die lilafarbene Arnika vor meiner Tür wuchern? Oder ist der Enzian lila und die Arnika blau? Und warum sollte ich in die »Harmonie« gehen, wenn ich hier oben in derselben seit beinahe einem halben Jahrhundert lebe? Das einzige, worum ich Sie bitte, so schrieb ich an den Blindenverband, schicken Sie mir doch eine Frau herauf, eine junge, wohlansehnliche Person, welche wie ich die klassische Literatur liebt, eine Studentin vielleicht, mit welcher geistvolle Gespräche möglich sind, und wenn ein gutes Wort das andere geben würde und sich die Situation für beide auf das Schönste entwickelte, wäre in diesem wunderbaren Falle, so schrieb ich an den Blindenverband, mit diesem Geschöpf auch weiteres und anderes möglich? In der letzten Nacht ist dieser ersehnte Mensch, diese junge Frau angekommen. Erschöpft von

der langen Reise und vom Aufstieg, wohl über-
wältigt von der Stille hier oben, ging sie wortlos
zu Bett, und ich legte mich neben sie, um nichts
von ihrer neugewonnenen Nähe zu versäumen.

*Der Junge berührt – in einer Mischung aus Staunen und
Neugier – die Schulter der Frau. Die Frau rührt sich
nicht. Der Junge rüttelt sie. Zuerst sanft, dann stärker.
Sie rührt sich nicht. Während der Blinde redet, ohne
sich von der Stelle zu bewegen, geht der Junge in einen
Nebenraum und holt einen kleinen Tisch. Er nimmt die
Lebensmittel aus dem Korb und legt sie auf den Tisch.
Er richtet eine Art Frühstück her.*

DER BLINDE:

An diesem Morgen erinnere ich mich aus guten
Gründen an einen anderen Morgen: an jenen
des ersten September neunzehnhundertneun-
unddreißig. Meine Studienkollegen und ich
weilten an diesem Tage in Italien, wir wohnten
in einer kleinen Pension in einer Bucht des Gol-
fes von Sorrent. Der Tag brach an und mit ihm
jene spätsommerliche Hitze, welche meine
Freunde schon frühmorgens an den Strand
trieb. Ich frühstückte und blieb noch eine Weile
auf der Terrasse sitzen. Ich schlenderte zum
Strand hinunter und ging geradewegs auf eine
Badehütte zu. Nicht das Blau des Meeres, wel-

ches von allen Reiseführern gepriesen wurde, hatte mich in seinen Bann gezogen, sondern das Wort l'amore, die Liebe, welches mit rotem Lack und mit ungelenker Hand auf die halbverfallene Badehütte geschrieben worden war. Von jedem Buchstaben waren Tropfen heruntergeronnen und früher oder später zum Stillstand gekommen und eingetrocknet. Wer hatte hier der Welt die Liebe, seine Liebe, verkündet? Ein alter Fischer, wortkarg geworden von den vielen nächtlichen Ausfahrten, seiner Frau? Seine Frau ihm? Hat hier ein Zurückgewiesener seinen ganzen Schmerz in stummen, roten Lettern hinausgeschrieen, oder hat hier ein Erhörter seine unbändige Freude verewigt? Welche unbekannte Schöne wurde mit diesen flammenden Worten gepriesen?

Der Junge beobachtet die Frau und den Blinden. Die Frau rührt sich nicht.

DER BLINDE:

Erdrückt vom Überfluß der Vorstellungen, schloß ich, der ich damals noch ein Sehender war, meine Augen und machte mir ein Bild von jener Frau, die ich einmal lieben würde. Lange Zeit sah ich nichts, nur Schwarz. Langsam löste sich eine Gestalt aus der Dunkelheit, ein junges

Mädchen in einem weißen Kleid, an welchem zwei große Taschen aufgenäht waren. Das Mädchen hatte rotblonde Haare, kam auf mich zu und lächelte. In diesem Augenblicke hörte ich die schreiende Stimme eines meiner Freunde, der Krieg ist ausgebrochen, schrie er, aber ich wollte die Augen nicht öffnen, denn dieses Mädchen, das doch nur eine Vorstellung war, sollte um nichts in der Welt verschwinden.

Der Blinde hält den Kopf schief und lächelt. Der Junge stellt sich neben ihn und hält ebenfalls den Kopf schief. Stille.

2.

Stille. Der Junge steht neben dem Blinden. Beide halten die Köpfe schief. Ein Düsenflugzeug zieht eine weiße Kondensspur über den blauen Himmel. Stille. Die rothaarige Frau im Tigerpelzmantel ächzt und wälzt sich hin und her.

DER BLINDE:

Sag ihr, daß ich bereit bin für die Begrüßung.

Der Junge geht zum Campingbett. Er rüttelt die Frau. Sie wehrt seine Hand ab und schläft weiter. Stille. Der Junge wirft das Campingbett um. Die Frau fällt auf den Boden. Unter ihrem Tigerpelzmantel trägt sie ein giftgrünes Kleid. Sie schaut auf. Ihr Gesicht ist bleich und verquollen. Sie versucht sich zu orientieren. Sie öffnet ihren Koffer und holt eine Packung Aufputschmittel und eine Flasche Whisky heraus. Sie spült eine ganze Handvoll Tabletten mit Alkohol hinunter. Sie kramt in ihrem Koffer, wirft dabei verschiedene Gegenstände (Gummi-Penisse, Präservativpackungen etc.) heraus, bis sie etwas Bestimmtes findet: ein altes Reclam-Heftchen (William Shakespeares »Romeo und Julia« in der Übersetzung von August Wilhelm Schlegel). Sie glättet sich das Haar mit den Händen, sitzt mit gespreizten Beinen am Boden und schaut den Blinden an. Sie öffnet das

Reclam-Heft und entfernt ein Lesezeichen. Sie rezitiert die Julia.

DIE FRAU: *(zum Blinden)*

> Willst du schon gehen? Der Tag ist ja noch fern.
> Es war die Nachtigall und nicht die Lerche,
> Die eben jetzt dein banges Ohr durchdrang;
> Sie singt des Nachts auf dem Granatbaum dort.
> Glaub, Lieber, mir: es war die Nachtigall.

DER BLINDE: *(antwortet in ihre Richtung)*

> Die Lerche war's, die Tagverkünderin,
> Nicht Philomele; sieh den neid'schen Streif,
> Der dort im Ost der Frühe Wolken säumt.
> Die Nacht hat ihre Kerzen ausgebrannt.
> Der muntre Tag erklimmt die dunst'gen Höhn;
> Nur Eile rettet mich, Verzug ist Tod.

Die Frau spricht die Julia, der Blinde den Romeo. Er auswendig, sie liest so recht und schlecht aus dem Reclam-Heftchen vor, bis sie die Zeile verliert und nicht mehr weiter weiß. Sie gibt es auf und schaut den Blinden an. Ihr ist schlecht. Sie versucht aufzustehen, schafft es aber nicht.

DIE FRAU: *(zum Blinden)*

> Haben Sie einen Namen? Wie heißen Sie überhaupt? Ist ja auch egal. Namen sind Schall und Rauch. Wenn ein Kunde zu mir kommt und mir seinen Namen sagen will, sage ich immer,

behalte ihn für dich. Du heißt bei mir Klaus oder Hermann oder Gerhard oder was weiß ich. Und wenn er mir erzählt, daß ihn seine Frau, die Sowieso, anal nicht zuläßt, Sie verstehen, was ich meine, dann sage ich ihm, wie er es bei der Erika machen muß, damit es von hinten geht, ob die nun Erika heißt oder nicht. Mein Gott, ich verliere mich. Das ist ein Fehler von mir. Ich heiße Jasmine, mit »e«, also die französische Schreibweise. Das hat einen Vorteil und einen Nachteil. Der Vorteil ist, daß doch mehr Kunden kommen, weil sie glauben, man sei eine Französin. Manche glauben allerdings, daß ich es automatisch französisch mache, und das ist dann der Nachteil. Französisch ist bei mir im Grundtarif nicht drinnen, das gehört zu den Extras. Die Jungen machen natürlich alles, weil sie dumm sind und unbedingt in den Beruf wollen, eine ganze Reise um die Welt, ohne Aufschlag. Ich schweife schon wieder ab. Der Blindenverein hat mir zweitausend Schilling gegeben plus Fahrtspesen und mir gesagt, daß ich mich benehmen soll, weil Sie so gebildet sind, und außerdem sind Sie alt und blind. Da habe ich mir gedacht, mach dem armen Schwein eine Freude und schau in deinen alten Schulsachen nach. Und tatsächlich fand ich dieses alte Reclam-Heft. Gibt es dieses Stück in Blindenschrift auch?

Stille.

JASMINE:

Weil Sie so schön auswendig geantwortet haben.

DER BLINDE:

Vor vierzig Jahren, als ich erblindete, gab es nur die Klassiker in Blindenschrift. Später ist dann »Das Beste aus Reader's Digest« dazugekommen. Ich las die Klassiker, vor allem die Liebesszenen, immer wieder. Bekannterweise enden ja beinahe alle Liebesbeziehungen schrecklich, zumeist mit dem Tode. Warum sollte ich mich angesichts solcher Katastrophen weiterhin nach der Liebe sehnen? So versuchte ich mir Trost zu verschaffen, wenn auch vergebens. Die Einsamkeit wuchs, und die Sehnsucht nach einer Frau stieg ins Unermeßliche.

Jasmine versucht aufzustehen. Es macht ihr große Mühe. Schließlich gelingt es ihr. Sie stützt sich an der Wand ab. Stille. Jasmine schaut den Blinden und den Bauernburschen an.

JASMINE: *(zum Jungen)*

Wer ist der?

Stille. Der Junge stellt sich neben den Blinden.

JASMINE: *(zum Blinden)*

Ich habe folgenden Vorschlag für den Ablauf. Bezahlt ist schon, und wenn ich in Ihren Augen halbwegs gut aussehe und Ihnen entspreche, dann machen wir es sofort, und ich fahre anschließend wieder in die Stadt.

Stille.

DER BLINDE:

Ich sehe Sie nicht.

JASMINE:

Wieso? Ach so. Sie müssen entschuldigen, ich habe zwar schon alles gehabt, aber einen total Blinden noch nie. Sehschwache waren schon etliche dabei, sogar ein Kanalblinder, das sind Blinde, die nur einen kleinen Ausschnitt sehen, von einem Kirchturm sehen sie zum Beispiel nur die Turmuhr, aber Sie sind mein erster wirklich echt Blinder.

Stille.

DER BLINDE:

Würden Sie mir eine Freude machen? Könnten Sie zum Spiegel gehen und mir beschreiben, wie Sie aussehen?

Stille. Jasmine starrt den Blinden an. Sie geht langsam zum Spiegel und schaut hinein. Sie sieht sich in ihrer ganzen Häßlichkeit. Sie bekommt einen Lachanfall. Der Lachanfall hört auf. Stille.

DER BLINDE:

> Sie sind schön, nicht wahr? Ich wußte, daß Sie schön sind. Sie tragen ein weißes Kleid?

Jasmine schaut noch einmal in den Spiegel, dann schaut sie den Blinden an. Sie geht zum umgeworfenen Campingbett, stellt es wieder auf und räumt die verstreuten Dinge in ihren Koffer. Sie setzt sich an den Rand des Campingbetts, schneuzt sich und schaut die beiden an.

JASMINE:

> Es ist zwar gegen meine Prinzipien, aber ich mache eine Reise um die Welt, ohne Aufschlag. Bei Krüppeln werde ich schwach.

Stille. Der Blinde und der Junge starren sie an. Der Blinde öffnet das Glas seiner Blindenuhr und tastet die Zeiger ab.

3.

Der Blinde tastet die Zeiger ab.

DER BLINDE:

Um diese Zeit kommt der Auerhahn.

Der Blinde öffnet mit einigem Geschick ein Fenster der Glasfront. Er streckt seinen Kopf aus dem offenen Fenster und imitiert das Balzgeschrei des Auerhahns.

DER BLINDE:

Auch die Natur hat ihre Ordnung und ihre Präzision.

Er schließt das Fenster der Glasfront und den Deckel seiner Blindenuhr.

4.

Er schließt den Deckel seiner Blindenuhr. Stille. Weder der Junge noch der Blinde rühren sich. Jasmine steht auf, nimmt den Jungen an der Hand und führt ihn zum Campingbett. Sie kramt in ihrer Tasche und holt ein paar Päckchen Präservative heraus.

JASMINE:

Kann man hier etwas zum Essen kriegen? Ich habe noch nichts gefrühstückt.

Der Junge nimmt den Tisch mit den für den Blinden hergerichteten Lebensmitteln und stellt ihn neben Jasmine. Er richtet alles noch einmal her, mit besonderer Aufmerksamkeit. Sie beobachtet ihn und steckt die Präservative wieder ein.

JASMINE:

So einer bist du, da brauchen wir keinen Schutz. Das sehe ich mit freiem Auge, du bist ein Mamabub, du willst dienen. Wer in unserer Branche nichts von Psychologie versteht, kann einpacken.

Während sie redet, zieht sie die Schuhe und die Strumpfhose aus.

JASMINE:

Die Gabel machen, das kann jede, aber in Sekunden entscheiden, wo der Kunde hingehört, dazu braucht es jahrelange, oft jahrzehntelange Erfahrung.

Sie streichelt den Kopf des Jungen und drückt ihn sanft zu ihren nackten Füßen.

JASMINE:

Brav ist der Bub. Brav ist der Bub. Wenn man diesen Typus richtig erkennt, braucht man gar nichts mehr zu machen. Der macht alles von selber.

Sie lehnt sich zurück und beginnt zu essen. Schweigen.

DER BLINDE:

Was geht hier vor?

JASMINE:

Hier wird gefrühstückt.

Während der Blinde redet, bewegt der Junge seinen Kopf langsam höher.

DER BLINDE:

Liebe Jasmine, dies ist das erste Mal, daß ich Sie mit Ihrem Namen anspreche, ich möchte Ihnen sagen, daß ich die Situation durchaus nicht verkenne. Ich bin ein alter Mann und ich leide an einem Gebrechen, welches trotz enormer Fortschritte auf dem Gebiete der Augenheilkunde und insbesondere der Netzhauttransplantationen vermutlich nicht mehr behebbar ist, auch

wenn uns die Monatsschrift der Hilfsgemein-
schaft der Blinden und Sehschwachen immer
wieder ermahnt, die Hoffnung nicht aufzugeben. Sie sind eine wesentlich jüngere Frau, das
Leben liegt noch vor Ihnen. Im großen und ganzen bin ich noch klar im Kopfe, auch wenn die
lange Einsamkeit dazu geführt hat, daß mir
beim Sprechen der Sinn des einen oder anderen
Satzes abhanden gekommen ist, so weiß ich
doch in der Regel, was ich sage, und deshalb
sage ich es geradeheraus: Ich begehre Sie. Ich
bin kein armer Mann. Seit der Gleichstellung
der Zivilblinden mit den Kriegsblinden verfüge
ich über eine sich jährlich um einige Prozente
vermehrende Pension, und durch meine Tätigkeit hier in den Bergen kommt ein weiteres,
nicht zu verschmähendes Einkommen hinzu.
Im Falle meines Todes würde solches Geld, das
angesparte und die selbstverständlich weiterlau-
fende Pension, auf Sie übergehen. Wenn Sie
Ihre Blicke auf mich werfen und Ihrem Herzen
eine Entscheidung abverlangen wollen, so mö-
gen Sie dies alles in Betracht ziehen.

*Der Himmel über den Bergen bewölkt sich. Jasmine ißt
und trinkt. Der Junge hat seinen Kopf zwischen ihren
Beinen.*

DER BLINDE:

Ich weiß, dies ist ein Ort der Einsamkeit, und einen jüngeren Menschen drängt es nach Unterhaltung. Auch daran habe ich gedacht. In diesem, der Welt scheinbar so entrückten Hause, gibt es zwar keinen Strom, aber einen Radioapparat aus dem Jahre neunzehnsechsundfünfzig. Er wird mit Batterien betrieben, welche im Augenblick zwar nicht vorrätig sind, jedoch schon vor längerer Zeit bestellt wurden. Die Sendung müßte längst eingetroffen sein, und ich habe manchmal den Verdacht, daß der Junge, der ansonsten ein vorbildlicher Helfer ist, aus unerklärlichen Gründen die Batterien zurückhält, wodurch ich keinerlei Kenntnisse von den laufenden Weltvorgängen habe und ganz und gar auf die Erzählungen des Jungen angewiesen bin. Dieses mein Angewiesensein macht dem Jungen offensichtlich einige Freude, und daran erkenne ich sehr wohl die weniger schönen Seiten dieses jungen Menschen, dem so manches und vielleicht ganz Entsetzliches zuzutrauen ist, wie überhaupt die Menschen hier in den Bergen etwas Verstocktes, Heimtückisches und Jähzorniges an sich haben, je weiter oben in den Bergen sie wohnen, und der

Hof, auf welchem der Junge mit seiner Familie wohnt, ist ja der höchstgelegene, nur einen Steinwurf von diesem Hause entfernt. Es ist ja in den letzten dreißig Jahren schon des öfteren passiert, daß ich ohne Batterien war, wenn auch nicht durch die Schuld des Jungen, sondern durch die der österreichischen Post. Gänzlich batterielos war ich beispielsweise zwischen 1962 und 1964 und habe daher nur lückenhafte Kenntnisse über die Weltvorgänge in dieser Zeit. Meine Gesundheit, sehe ich von anfallsartigen Zahnschmerzen ab, ist leidlich, und doch wäre ich bereit, sollten Sie es wünschen, dieses Domizil in den Bergen für kurze Zeit zu verlassen, um mit Ihnen in der nächsten größeren Ortschaft die Trauung zu vollziehen und auch um bei dieser Gelegenheit die vom Gesundheitsministerium gratis angebotene Durchuntersuchung vornehmen zu lassen.

Jasmine schiebt den Jungen zur Seite.

JASMINE:

Sie wollen heiraten?

Jasmine steht auf, geht zum Blinden und führt ihn zum Campingbett. Sie drückt ihn sanft auf das Bett. Der Junge läuft aus dem Raum. Jasmine nimmt den Katalog eines Versandhauses aus ihrem Koffer und setzt sich neben den Blinden. Der Junge schaut von draußen in das Verandazimmer, durch ein Fenster. Jasmine blättert im Katalog.

JASMINE:

Das wichtigste ist ein Hochzeitskleid. Weiß wäre übertrieben, aber Altrosa finde ich in Ordnung. Dieses Modell ist aus 100% Viskose. Bestellnummer L 58 0225. Elegant in der Linienführung, Oberteil vorne mit Spitzenabschluß. Größen 38, 40, 42, 44, 46 und Spezialgrößen. Der Pelzmantel, den ich anhabe, ist auch aus dem Katalog. 40% Modacryl, 40% Polyacryl, 20% Polyester. Damit liegen Sie absolut im Trend. Mit Schalkragen und Hakenverschluß. Sehr kuschelig.

DER BLINDE:

Sehr schön.

JASMINE:

Was braucht man noch alles für die Hochzeit? Der Küchenspezialist, der alles kann. Bestellnummer L 30 3891. Er knetet, rührt, schlägt, hackt, schneidet, raspelt, reibt und verfügt außerdem über einen Mixaufsatz, Kräuterhacker, Zitruspresse, Entsafter und Pürier-Einsatz.

DER BLINDE:

Wunderbar.

Jasmine schaut den Blinden an. Der Blinde schaut sie an und nicht in den Katalog.

JASMINE:

Bei euch Blinden hat man manchmal das Gefühl, daß ihr gar nicht blind seid.

Jasmine blättert weiter im Katalog.

JASMINE:

Hochzeitsservice »Siebenter Himmel«. 79teilig. 6 tiefe Teller. 6 flache Teller. 6 Dessertteller. 6 Tassen mit Untertassen. 24teiliges Besteck, 6 Biergläser, 6 Weinkelche, 7teilige Kompottgarnitur, 12 Untersetzer. Zum Sensationspreis von S 898, –. Mit Bruchgarantie.

DER BLINDE:

Unglaublich.

Sie schaut auf. Der Blinde schaut sie an. Sie schließt den Katalog und legt ihn weg.

JASMINE:

Die Hochzeit mit einem Blinden hat eigentlich keinen Sinn, wenn man vom Äußeren ausgeht. Möglicherweise ist es innerlich um so schöner mit einem Blinden. Stehen Sie auf.

Der Blinde steht auf. Er stellt sich neben das Campingbett, mit dem Rücken zum Publikum. Jasmine steht auf und kniet sich vor dem Blinden nieder. Sie macht sich an ihm zu schaffen. Der Blinde deckt sie ab. Das Gesicht des Jungen verschwindet vom Fenster. Man sieht Jasmines Hand, die sich auf und ab bewegt.

JASMINE: *(nach einiger Zeit)*

Wenn man auf einen Fall wie Sie kommt, wo das nicht gleich funktioniert, fragt man sich natürlich, für wen machst du das alles? Warum mußt du dich jahrein, jahraus so anstrengen? Warum läßt du die Sache nicht auf sich beruhen und ziehst dich zurück aus dem Geschäft? Und wie lautet die Antwort? Man macht alles nur für die Kinder. Mein achtjähriger Sohn geht in die Französische Schule. Die lernen von der ersten Klasse an Französisch. Wissen Sie, wie hoch das monatliche Schulgeld in der Französischen Schule ist? Und die Kleine, die Dreieinhalbjährige, geht in den Privatkindergarten, in den Städtischen kann man sein Kind ja nicht geben, da sind ja lauter Ausländerkinder. Der Älteste besucht die Hotelfachschule in Feldkirch, er steht kurz vor dem Abschluß. Wenn der sein Zeugnis hat, kann der in jedem Viersternhotel anfangen. Oder Dreistern.

DER BLINDE:

Ich bitte Sie, liebe Jasmine, stellen Sie Ihre Tätigkeit ein, denn ich habe Ihnen ein Geständnis zu machen. Ich denke, daß am Beginne jedes innigen Miteinanders die Aufrichtigkeit stehen sollte, und deshalb sage ich Ihnen, daß ich nach 40 Jahren absoluter Enthaltsamkeit an dieser Stelle nichts mehr empfinde.

Jasmine zieht sofort ihre Hand zurück.

DER BLINDE:

Sicherlich auch eine Folge meiner Erblindung, ich mußte ja lernen, die Welt mit den Fingern zu ertasten. Wenn ich etwas spüre, dann in den Fingerspitzen.

JASMINE:

Jetzt haben Sie mich für einen Moment ganz schön aus dem Konzept gebracht. Aber Sie sollen sehen, was für eine Kapazität ich in meinem Beruf bin. Strecken Sie die Hände aus. Spreizen Sie die Finger.

Der Blinde macht, was sie von ihm will. Er hält die Arme von sich gestreckt und hat die Finger gespreizt. Jasmine holt ein Päckchen Präservative aus ihrer Tasche und rollt zwei Präservative über die Zeigefinger des Blinden. Stille.

JASMINE:

Was sagen Sie jetzt? Spüren Sie etwas?

Stille. Der Blinde bewegt ganz leicht die Finger.

DER BLINDE:

Darf ich Ihnen die Geschichte meiner Erblindung erzählen?

*Während der Blinde redet, zieht Jasmine ihre Strumpf-
hose wieder an. Sie nimmt die Schuhe in die eine, den
Koffer in die andere Hand und geht langsam, auf
Zehenspitzen, zur Tür.*

DER BLINDE:

Ich wollte Journalist werden, die Welt ganz und
gar in mich aufnehmen, kein Zipfelchen wollte
ich auslassen, ich war gierig nach Zeitungen und
Nachrichten. Ich belegte das Studium der Zei-
tungswissenschaft an der Universität Wien.
Später nannte man diese Fachrichtung Publizistik. Neunzehnhundertzweiundfünfzig bekam
ich mit einigen westdeutschen Studenten ein
Stipendium für Amerika. Drei Monate nach
meiner Ankunft wurde ich von meinem Profes-
sor gefragt, ob ich einen Atombombenversuch
sehen wollte. Natürlich wollte ich. Wir wurden
mit einem Flugzeugträger in die Südsee gebracht, in der Nähe der Insel Elugelab machten
wir halt. Der Presseoffizier führte uns in einen
gepanzerten Raum und beschwor uns, den
ersten Moment der Explosion abzuwarten und
erst dann durch den Sehschlitz zu schauen. Ich
war einfach zu neugierig und sah mir das ganze
Schauspiel an, vom Anfang bis zum Ende. Es
war wie in der Wochenschau, nur daß der

Atompilz nicht schwarz, sondern farbig war. Die Insel Elugelab war vom Erdboden verschwunden. Anschließend verteilte der Presseoffizier Muscheln an die Gäste, als Erinnerung an die Südseeinsel Elugelab. Hier ist die meine. *Er holt eine Muschel aus seiner Rocktasche, sucht Jasmine mit den Händen und gibt ihr die Muschel. Jasmine steht neben der Tür. Sie wirkt sehr verändert. Stille. Der Blinde öffnet den Deckel der Blindenuhr.*

5.

*Er öffnet den Deckel der Blindenuhr und tastet die Zeit
ab.*

DER BLINDE:

> O mein Gott. Ich verspäte mich mit dem
> Kuckuck.

*Er geht zur Glasfront, öffnet ein Fenster, streckt seinen
Kopf hinaus und imitiert einen Kuckuck. Er schließt das
Fenster wieder und zählt.*

DER BLINDE:

> Einundzwanzig. Einundzwanzig. Einundzwan-
> zig. Einundzwanzig. Einundzwanzig.

*Er öffnet ein anderes Fenster und imitiert wieder einen
Kuckuck, diesmal in einer etwas höheren Stimmlage. Er
schließt das Fenster und den Deckel seiner Blindenuhr.*

6.

Er schließt den Deckel seiner Blindenuhr.

DER BLINDE:

Am Anfang war alles völlig in Ordnung. Ich hatte nicht die geringsten Probleme mit den Augen, erst mit der Zeit stellte sich eine leichte Sehschwäche ein.

Jasmine steht an der Tür; sie weiß nicht, ob sie gehen soll.

DER BLINDE:

Die Ärzte sprachen von einer gewissen Sauerstoffunterversorgung der Netzhaut. Ich will Ihnen die Einzelheiten, die operativen Eingriffe und ihr Mißlingen, ersparen. Meine Eltern, reiche Geschäftsleute aus Graz, kauften dieses Haus in den Bergen. Angeblich sollte die Bergluft meine zunehmende Erblindung aufhalten können, zumindest vorübergehend. Heute wirken solche ärztlichen Thesen lächerlich, damals nahmen wir sie gierig auf, um nicht dem Schlimmsten, der absoluten Hoffnungslosigkeit, anheimzufallen. Die vollständige Erblindung kam eines Morgens, ich war völlig ausgeschlafen, doch um mich war Nacht, und es dauerte eine Ewigkeit, vielleicht eine ganze Minute, bis ich begriff, daß diese Nacht für alle anderen Menschen schon der Tag war, nur nicht für mich.

Stille. Er bewegt die Finger. Jasmine beobachtet ihn. Sie nimmt eine Dose mit Abschminke, wie sie die Theaterleute verwenden, und eine Papierrolle aus ihrem Koffer. Sie schminkt sich ab. Sie sieht abgeschminkt ganz anders aus.

DER BLINDE:

Ich nahm die Welt auf, wie es mir aufgrund meiner Erblindung möglich war. Ich lernte in kürzester Zeit die Blindenschrift, las alle Klassiker, was wohl dazu geführt haben mag, daß ich seither eine etwas theatralische Sprechweise habe, abonnierte, sobald dies möglich war, »Das Beste aus Reader's Digest«. 1956 gab es das erste batteriebetriebene Radio, und sofort hörte ich Radio, Tag und Nacht hörte ich Radio, ich hatte einen unglaublichen Verschleiß an Batterien. Zu jeder Nachricht stellte ich mir das Ereignis selbst vor, ich machte mir mein Bild davon. So stellte ich mir beispielsweise bei einem Zugsunglück zuerst den entgleisten Zug vor, dann die Landschaft rundherum, dann die Menschen, wie sie sterbend auf den Böschungen lagen, dann kamen die Rettungswagen gefahren, und wenn das ganze Bild fertig war, bemalte ich es mit Farben. Das satte Grün der Wiesen, das leuchtende rote Kreuz des Rettungswagens. Natürlich hatte ein Zugsunglück in England ganz andere Farben als ein solches in Nordafrika. Obwohl ich seit vierzig Jahren in diesem Haus lebe und es seitdem noch kein einziges Mal verlassen habe, bin ich durchaus kein Verweigerer der Welt gewesen. Im Gegenteil, ich nahm alles auf, was sie mir, einem Blinden, zu bieten hatte.

Stille. Der Blinde bewegt die Finger. Die Bewölkung in den Bergen nimmt zu. Jasmine zieht ihren Tigerpelzmantel aus. Sie nimmt Kleidungsstücke aus ihrem Koffer und zieht sie an. Zuerst eine Schafwollweste, dann einen Anorak. Sie wirkt völlig verändert. Sie gibt den Tigerpelzmantel in ihren Koffer, legt die Muschel ganz leise auf den Boden, zieht ihre Schuhe an und will gehen.

DER BLINDE:

1957 wurde der erste Satellit in den Weltraum geschossen, Sputnik 1 hieß er, oh, wie habe ich mich da gefreut!

Stille. Jasmine bleibt an der Tür stehen.

DER BLINDE: *(beginnt immer lauter zu werden)*

Und dann ist Fidel Castro in Havanna ein-marschiert, und da war ich glücklich, und dann wurde die Berliner Mauer gebaut, und da habe ich mir das vorgestellt, wie eine solche Mauer durch eine ganze Stadt geht und die Menschen, die Freunde, die Familien trennt, und da war ich unglücklich, und dazwischen war ein Flugzeug-unglück, und dann war eine Modenschau, und dann gab es Bombenterror in Südtirol, und plötzlich landete der erste Mensch auf dem Mond, und ich war außer mir, und die Arbeiter-unruhen in Polen machten mir Angst und Hoff-nung zugleich, und der Autosalon in Zürich wurde glanzvoll eröffnet, und ich wollte mir die neuesten Modelle vorstellen…

Der Blinde beginnt zu schreien.

DER BLINDE:

…aber ich konnte nicht, denn ich war noch in Saigon, ich sah noch die vietnamesischen Kin-der und färbte gerade ihre Brandwunden ein, da brach der nächste Krieg aus, der Jom-Kippur-Krieg, und noch einer und noch einer. Ich kam einfach nicht mehr nach mit der Herstellung meiner Bilder, mit meinen Vorstellungen. Zu-erst verlor ich, in der Anstrengung des Nacheilens, die Farbe, es blieb einfach keine Zeit zum Bemalen, ich sah alles nur noch schwarz-weiß, und seit einigen Jahren sehe ich nichts mehr. Ich höre die Nachrichten, aber sie bedeuten mir nichts. Ich kann mir die deutsche Wiedervereinigung nicht mehr vorstellen. Ob der Sozialismus lebt oder zugrunde geht, ist mir gleichgültig. Trauer und Freude wechseln einander nicht mehr ab, sie sind aufgelöst. Ich sehe nichts mehr. Ich habe nur noch Angst. Schreckliche Angst. Seit einigen Monaten höre ich kein Radio mehr. Die Wahrheit ist: Ich habe dem Jungen befohlen, die Batterien nicht mehr ins Haus zu bringen. Aber heute nacht, welch ein Wunder, habe ich wieder etwas gesehen. Heute nacht, als ich neben Ihrem Bette lag, habe ich plötzlich jenes Kind gesehen, welches vor drei Jahren in einen Brunnenschacht fiel. Man mußte einen zweiten Schacht in die Erde graben, Sie erinnern sich? Und heute morgen, bevor Sie erwachten, sah ich jenes Wort, welches im Jahre 1939 auf einer halbverfallenen Badehütte stand. In roter Farbe.

Stille. Der Blinde bewegt die Finger. Er hält den Kopf schief und lächelt. Jasmine ist sehr nervös.

DER BLINDE:

Haben die Präservative auf meinen Fingern eine Farbe?

JASMINE: *(unsicher)*

Wie bitte? Nein.

DER BLINDE:

Gibt es farbige Präservative?

JASMINE:

Ich glaube schon.

DER BLINDE:

Haben Sie welche?

Stille.

DER BLINDE:

Bitte.

Stille. Jasmine stellt ihren Koffer ab und kramt darin. Sie bringt mehrere Päckchen Präservative zum Vorschein. Sie geht zum Blinden und stülpt farbige Präservative über seine Finger. Der Blinde bewegt einen Finger.

DER BLINDE:

Welche Farbe hat dieses Präservativ?

JASMINE:

Blau.

DER BLINDE:

Ich kann Ihnen wirklich glauben?

Jasmine nickt. Lange Stille.

JASMINE:

Ja.

DER BLINDE: *(freudig)*

Ich habe einen blauen Finger.

Der Blinde bewegt einen anderen Finger.

DER BLINDE:

Und dieses?

JASMINE:

Rot.

DER BLINDE: *(immer freudiger)*

Ich habe einen roten Finger.

Jasmine geht die Farben aller zehn Präservative durch.

JASMINE:

Rot. Weiß, also farblos. Violett. Grün. Rot.
Farblos. Gelb. Schwarz, in Mattseide. Rot. Blau.

DER BLINDE: *(voller Freude)*

Demnach habe ich drei rote Finger. Ich habe
zwei farblose Finger. Ich habe einen grünen und
einen violetten Finger. Einen gelben, einen
blauen und einen schwarzen in Mattseide.

Er lacht.

JASMINE: *(verzweifelt)*

Ich bitte Sie, hören Sie auf. Ich muß Ihnen auch
etwas gestehen. Ich bin nicht die, für die Sie mich
halten. Ich arbeite im Sekretariat des Blindenver-
bandes. Ich habe Ihren Brief zur Beantwortung

bekommen. Ich haben Ihnen etwas vorgespielt, ich habe Sie auf das Schmählichste hintergangen.

Die Wolken in den Bergen verdecken die Sonne. Im Zimmer wird es dunkler. Stille. Sie nimmt ihre rote Perücke herunter. Sie hat schon etwas angegrautes Haar, welches hinten zu einem Knoten zusammengesteckt ist.

JASMINE:

Es gibt keine Entschuldigung für mein Verhalten.

Stille. Sie nimmt seine Hand und legt sie auf ihren Kopf. Stille.

DER BLINDE: *(heiter)*

Darf ich die Farbe Ihres Haares erraten? Rotblond?

Sie schaut ihn an. Sie gibt ihm keine Antwort. Stille.

DER BLINDE:

Ich habe die Farbe erraten. Und Ihr Kleid? Darf ich weiterraten?

Er wird immer fröhlicher.

DER BLINDE:

Ist es weiß? Ja?

JASMINE:

Ja.

DER BLINDE:

Sie tragen doch Ohrringe? Ja. Mit einem Stein. Es ist ein…

JASMINE:

Ja. Ja.

DER BLINDE:

Aquamarin. Ein blauer Aquamarin. Unter Ihrem linken Ohr baumelt, in Silber gefaßt, ein blauer Stein. Unter Ihrem rechten Ohr baumelt, in Silber gefaßt, ein blauer Stein. Beide Steine sind Aquamarine.

JASMINE:

Aber natürlich.

DER BLINDE:

Und Ihre Figur? Verzeihen Sie diese direkte Anspielung, Ihre Figur?

Stille. Der Blinde schaut in Richtung Jasmine und hält den Kopf schief. Er ist so fröhlich.

DER BLINDE:

Eher zart? Liege ich richtig? Ganz besonders schlank in der Taille.

JASMINE:

Sehr schlank.

DER BLINDE:

Ich habe wieder Vorstellungen. Ich kann mir ganz genau vorstellen, wie Sie aussehen.

Jasmine beginnt zu weinen.

DER BLINDE:

Und das Wetter vor dem Fenster? Scheint die

Sonne? Ich weiß es. Die Sonne scheint, und das ganze Zimmer erstrahlt im Lichte der Sonne. Und inmitten dieser Strahlen stehen Sie.

Jasmine nimmt ihre Tasche und läuft aus dem Raum. Der Blinde merkt es sofort. Stille.

7.

Stille. Der Blinde reißt sich die Präservative von den Fingern. Er hält den Kopf schief und lauscht. Stille. Sehr lange Stille. Der Blinde kniet nieder und tastet den Boden ab, als könne er Jasmine finden.

8.

Der Junge kommt in den Raum. Er hat einen Käfig in der Hand, in welchem sich ein kleiner Hahn mit bunten Federn befindet. Der Blinde kriecht auf ihn zu. Er berührt den Jungen und erkennt ihn sofort. Er tastet ihn ab, als wolle er nicht wahrhaben, daß dies nicht Jasmine ist. Er ertastet den Käfig.

DER BLINDE:

Was ist das?

DER JUNGE:

Mein Lieblingshahn.

DER BLINDE:

Und was willst du damit?

DER JUNGE:

Der Dame schenken.

Der Hahn kräht. Der Blinde steht auf und lacht.

DER BLINDE:

Zwanzig Jahre, nein, dreißig Jahre, nein, vierzig Jahre warte ich voller Sehnsucht auf eine Frau. Ich versuche, mir dieses Verlangen durch ständiges Rezitieren klassischer Liebesszenen abzugewöhnen, ich versuche, die weibliche Erscheinung in jene Finsternis zu verbannen, in der alle Ereignisse der Welt versunken sind, aber nein, immer wieder löst sich aus der Dunkelheit das Bild der Frau, nimmt Gestalt an, und die Gestalt kommt auf mich zu und weckt alle, von klassischer Rezitation mühsam verborgene Begierde. Ich will sie ergreifen, aber sie verliert ihre Farben, ihre Konturen, löst sich auf, verschwindet in der Dunkelheit. Heute nacht ist sie aus der Finsternis zurückgekommen, hat sich nicht aufgelöst, ist geblieben, war kein Traumgespinst, keine nachgestellte Erinnerung. Sie ist eine Frau aus Fleisch und Blut, in einem schönen weißen Kleid, sie hat eine wunderbare Figur mit einer ganz schlanken Taille, sie hat rotblondes Haar. Sie trägt silberne Ohrgehänge mit zwei gefaßten, aquamarinblauen Steinen, und sie ist versiert in der Rezitation klassischer Liebesszenen, zumindest in einer. Und diese außergewöhnliche Erscheinung, im Äußeren und im Geiste gleichermaßen begünstigt, sollte ausgerechnet von einem hochalpinen Tölpel ein so lächerliches Geschenk annehmen? Einen Hahn vom Misthaufen? Warum willst du ihr etwas schenken? Was ging hier vor? Du bist nicht geschenksberechtigt. Dein Vater ist nicht geschenksberechtigt. Deine Brüder sind nicht geschenksberechtigt. Ihr habt nichts mehr herzugeben. Ihr habt alles an die Fremden verkauft. Eure Zeit. Eure Landschaft. Eure Seele. Ihr könnt nur noch dienen. Ihr seid eine Rasse von Sklaven. Gebirgssklaven seid ihr. Jawohl. Gebirgssklaven. Gebirgssklaven.

Der Blinde gerät völlig außer Atem. Er lehnt sich an die Wand und atmet schwer. Der Junge setzt sich auf den Käfig und birgt sein Gesicht in seinen Händen. Stille. Die Wolken am Himmel lösen sich langsam auf. Stille. Der Blinde lauscht. Der Hahn kräht. Der Blinde imitiert das Krähen des Hahnes. Stille. Der Blinde lauscht.

DER BLINDE:

Aus. Sie kommt nicht mehr.

Er geht zum Jungen und faßt ihn am Nacken. Er führt ihn zur Glasfront. Er stellt sich neben den Jungen.

DER BLINDE:

Was gibt es Neues in der Welt?

Der Junge schweigt. Der Blinde faßt den Jungen am Nacken.

DER BLINDE: *(voller Nachdruck, beinahe mit Haß)*

Was gibt es Neues da unten? Ich will den Satz hören.

DER JUNGE: *(monoton und auswendig)*

Alle Menschen sind glücklich und leben in Frieden. Freudig gehen sie ihren Beschäftigungen nach.

DER BLINDE:

Das ist schön.

Der Blinde drückt den Kopf des Jungen an seine Schulter. Er streichelt den Kopf des Jungen. Der Junge will sich losmachen, der Blinde hält seinen Kopf fest. Der Junge macht sich mit Gewalt frei.

DER JUNGE:

Ein ganzes Land brennt, und die Tiere brennen, und die Menschen brennen, und das Feuer brennt Löcher in den Himmel.

DER BLINDE:

Was ist das für ein Unsinn?

DER JUNGE:

Alles brennt. Es hört nicht auf.

DER BLINDE:

Idiot.

Der Junge geht zur Petroleumlampe, nimmt sie von der Wand, nimmt seinen Hahn aus dem Käfig, übergießt den Hahn mit Petroleum und zündet ihn an. Er wirft den brennenden und schreienden Hahn in Richtung des Blinden.

DER BLINDE: *(schreit)*

Hilfe! Hilfe! Aufhören! Aufhören!

Der Junge nimmt den brennenden Hahn und steckt ihn in den Kübel mit Wasser. Man hört ein zischendes Geräusch. Eine Rauchwolke steigt aus dem Kübel.

DER JUNGE:

Es hört aber nicht auf.

Stille. Von weitem hört man eine Gruppe von ungefähr zwanzig Menschen singen. Sie singen mit deutschem Akzent ein österreichisches Berglied. Der Gesang kommt langsam näher. Die Wolken am Himmel lösen sich auf. Jasmine kommt in den Raum. Sie stellt ihren Koffer neben der Tür ab.

9.

Sie stellt ihren Koffer neben der Tür ab. Sie geht im Raum hin und her, redet und redet und hört nicht den Gesang, der immer näher kommt.

JASMINE:

Verzeihen Sie mir, daß ich so ohne Erklärung davongelaufen bin. Bitte hören Sie mich an. Sie waren so offen zu mir. Die Geschichte Ihrer Erblindung hat mich tief berührt. Ich möchte versuchen, Ihnen und dem Jungen ebenso offen und ehrlich zu sagen, wer ich bin und was mich bewogen hat, Sie in dieser schamlosen Verkleidung aufzusuchen. Ich bin am Lande aufgewachsen und wurde sehr religiös erzogen. Meine Mutter hat mir immer erzählt, daß ich einen Schutzengel habe, der immer mit mir ist. Solange du ein Gotteskind bleibst, sagte meine Mutter, wird dich der Schutzengel begleiten und alles Unglück von dir fernhalten. Wie recht sie hatte, und das ist die Tragik meines Lebens. Der Schutzengel hielt nicht nur das Unglück von mir fern, sondern auch das Glück. Seit ich denken kann, machen mich die Menschen zu Mitwissern ihrer Trauer oder ihrer Freude, sie erzählen mir alles, aber mir widerfährt nichts. Seit zwanzig Jahren arbeite ich als Sekretärin im Blindenverein. Ich beantworte die Briefe der Blinden, erledige Amtswege für sie, gebe ihnen Rat, tröste sie. Manchmal spiele ich sogar ein wenig Schicksal, indem ich zwei extrem Sehschwache, die sich nicht so richtig wahrnehmen können, zusammenführe. Ich spüre es genau, wenn zwei Menschen zusammenpassen. Wenn ich die beiden dann so Hand in Hand durch den Hof der Blindenanstalt spazieren sehe, denke ich mir, wer nimmt dich an der Hand? Wer paßt zu dir? Wo ist dein Schicksal? Du hast zwei gesunde Augen, du siehst gestochen scharf, und du erlebst nichts; und die Blinden sehen nichts und erleben so unendlich viel. Ich beneide sie, und manchmal hasse ich sie sogar ein wenig. O bitte, verstehen Sie mich nicht falsch, Blinde sind wunderbare Menschen. Ich kenne einen jungen Mann, der von Geburt an blind ist. Er hat studiert und ist Übersetzer geworden. Er läßt sich von beschäftigungslosen Schauspielerinnen Gedichte und Romane auf Band sprechen und übersetzt sie in eine andere Sprache. Er, ein Blinder, macht für Sehende die Schönheiten unserer Literatur sichtbar. Als ich fragte, wie er mit seinem Schicksal zurechtkomme, da antwortete er, er liebe sein Leben, aber einen Schmerz könne er nicht verwinden. Welchen, fragte ich ihn. Er könne den Frauen, die er begehre, keine sehnsüchtigen Blicke zuwerfen. Ist das nicht wunderbar? Mir hat nie ein Mann einen sehnsüchtigen Blick zugeworfen. Ich liebe Kinder über alles, aber nie hat mir ein Mann gesagt, daß er ein Kind mit mir haben will. Wenn ich auf einer Parkbank sitze und sehe, wie grob die Eltern oft mit ihren Kindern umgehen, da würde ich ihnen am liebsten das Kind wegnehmen. Ich würde alles Häßliche und Laute von meinen Kindern fernhalten. In den Ferien fahre ich auf eine Schönheitsfarm in der Südsteiermark, zur Abmagerung. Ich gebe viel Geld dafür aus, daß ich nichts zu essen bekomme. Die Massagen sind wunderbar, aber sie müssen extra bezahlt werden, und so viele, wie ich es gerne hätte, kann ich mir dann doch nicht leisten. O ja, ich habe zwei Bekanntschaften gehabt. Die erste währte nur einen Abend, und die zweite sah ich nach ein paar Wochen mit einer anderen Frau. Er hatte vergessen, sich von mir zu verabschieden. Ich beschloß, mir etwas Bleibendes zu suchen. Ich schrieb an das Gefangenenhaus für sexuell abnorme Rechtsbrecher. Wenn es bei Ihnen einen Mann gibt, so habe ich geschrieben, der sehr einsam ist, der ungefähr in meinem Alter ist, der eine kontinuierliche menschliche Betreuung braucht, so bin ich gerne bereit, diese zu übernehmen. Die Gefängnisleitung hat mir umgehend geantwortet. Ja, es gibt einen Lebenslänglichen, einen ehemaligen Konzeptionsbeamten des Innenministeriums, der hätte einer Prostituierten die Brüste abgeschnitten und sie tagelang in seiner Aktentasche herumgetragen, der käme in Frage. Ich war durchaus nicht erschrocken. Ich kann alles verstehen, wenn auch nicht entschuldigen. Dieses Milieu hat mich schon immer angezogen, und ich bin hingegangen. Im Besucherzimmer saß ein kleiner, nett aussehender Mann, der Mörder. Ich habe ihn nur dreimal besucht. Sein Leben war sehr ereignislos verlaufen, wie meines, und wenn wir auf seine Tat zu sprechen kamen, fand er sie genauso abscheulich wie ich. Wir waren eigentlich in allem einer Meinung und wußten beim dritten Besuch nicht mehr, worüber wir reden sollten. Ich bin aufgestanden, habe mich höflich verabschiedet und bin gegangen, noch bevor die Besuchszeit zu Ende war. Dann ist Ihr

Brief gekommen. Aus ihm sprach eine Einsamkeit, die mich sehr an die meine erinnerte. Aber wie sollte ich mich Ihnen nähern? Ich bin kein junges Mädchen mehr. Sollte ich so erscheinen, wie ich bin? Sie hätten mich nicht wahrgenommen, es hat mich ja bis heute niemand wahrgenommen. Ich dachte mir eine Rolle aus, die ganz anders als alles in meinem bisherigen Leben sein sollte. Ich besorgte mir Bücher über Prostituierte. Ich ging in die betreffenden Gassen und beobachtete die Damen bei der Ausübung ihres Gewerbes. Je länger ich mich in die Rolle hineinlebte, desto aufregender wurde mein Leben. Ich kann mich ja so wunderbar in andere Menschen hineindenken. Ich beschloß, eine Hure zu sein, ich wollte meinen Schutzengel verletzen, ich wollte ihn verlieren, ich wollte Ihre Hure sein und alles erleben, was mit dieser Rolle zusammenhängt... (sie schreit auf) Was ist das?

10.

Was ist das?

Jasmine steht vor dem Kübel, aus welchem die Beine des ertränkten Hahnes herausragen. Sie zieht den halbverkohlten Hahn aus dem Eimer und betrachtet ihn fassungslos. Der Blinde und der Junge stehen nebeneinander und schauen in Richtung Jasmine. Von draußen hört man das laute Absingen des österreichischen Bergliedes mit deutschem Akzent, die letzte Strophe. Stille. Ein Tiroler Bergführer kommt in den Raum. Jasmine ist so überrascht von den Vorgängen, daß sie während der ganzen folgenden Szene den Hahn in der Hand behält.

DER TIROLER BERGFÜHRER: *(aggressiv zum Blinden)*

Die Fremden sind unter dem Fenster aufmarschiert, und zweitens war der Kuckuck um fünf Minuten zu spät.

Der Blinde geht zur Glasfront, öffnet zwei Flügel, draußen ist das schönste Wetter. Der Blinde spricht zu den Menschen unter dem Fenster.

DER BLINDE:

Meine sehr geschätzten Damen und Herren! Liebe Bergfreunde! Nun haben Sie einige Stunden mühsamen Aufstieges hinter sich. Sicherlich hat der eine oder andere von Ihnen mit dem Gedanken gespielt, aufzugeben, einfach stehenzubleiben und sich hinzusetzen und die anderen weiterziehen zu lassen. Sie haben diesen Gedanken besiegt und damit einen Sieg über sich selbst davongetragen. Der Lohn steht vor Ihnen. Die österreichische Bergwelt bietet sich Ihnen in einer Einmaligkeit dar, wie dies von keinem anderen Aussichtspunkte in den Alpen der Fall ist. Bitte richten Sie Ihre Blicke, beziehungsweise Ihre Feldstecher oder Ihre Kameras auf die Bergspitze ganz links. Dies ist der 3510 Meter hohe Hochfeiler. Daneben die Jakobsspitze. 2741 Meter hoch. Nun muß ich Ihnen doch ganz kurz erzählen, wie diese Jakobsspitze zu ihrem Namen kam. Ein gewisser Jakob Geiginger hat im vorigen Jahrhundert seiner Angebeteten eine Liebeserklärung gemacht, und da er so furchtbar stark in sie verliebt war, hat er seine Liebeserklärung von dieser Bergspitze ins Tal gerufen, damit es alle Welt und vor allem die Seine erfahre. Seither heißt die Spitze Jakobsspitze. Ob er nach etlichen Ehejahren wieder auf den Berg gestiegen ist und von oben seinen Grant hinuntergeschimpft hat, darüber schweigt die Chronik. Neben der Jakobsspitze das Zuckerhütl. 3507 Meter hoch.

Am Fuße des Zuckerhütls kreisen die Gebirgs-
dohlen. Sie können sie sehen oder zumindest
hören.

*Der Blinde beugt sich vom Fenster weg und gibt ein paar
kurze, gellende Schreie von sich. Er imitiert die Gebirgsdohle. Er spricht wieder zum Fenster hinaus.*

DER BLINDE:

Hier ist die Natur noch in Ordnung. Flora und
Fauna sind ganz und gar erhalten geblieben.
Hier haust das verspielte Murmeltier neben
dem scheuen Bergreh, fliegt der flinke Eichelhä-
her neben dem stolzen Adler. Hier zwitschert
noch der fidele Kreuzschnabel, hier balzt noch
der eitle Birkhahn. Neben dem Zuckerhütl
sehen Sie das Timmelsjoch, 2470 Meter hoch,
und daneben, mit ihren 3772, die Wildspitze,
den höchsten und wohl beeindruckendsten
Berg dieses insgesamt so beeindruckenden Mas-
sivs. Betrachten Sie diesen stolzen Berg in Ruhe,
an seinen Flanken werden Sie den einen oder
anderen beweglichen Punkt sehen, und das ist
dann eine Gams oder Gemse.

*Er beugt sich wieder vom Fenster weg und gibt mehrere
kurze Pfiffe von sich. Er imitiert die Gemse. Er beugt
sich wieder aus dem Fenster und spricht zu den unsicht-
baren Touristen.*

DER BLINDE:

Rechts von der Wildspitze erhebt sich die Weisskugel. Obwohl man mit freiem Auge beide Berge, die Wildspitze und die Weisskugel, für gleich hoch halten könnte, gibt es doch einen Unterschied. Sehen Sie genau hin. Die Weisskugel ist 43 Meter niedriger als die Wildspitze. Neben der Weisskugel, der Berg ganz rechts, das ist der Glockturm, 3358 Meter hoch. Dieser Berg gilt zu Recht als eines der letzten ungestörten Reservate des Bussards. Von hier aus kann man ihn auch mit dem Fernglase nicht sehen, wir sind zu weit entfernt. Schließen Sie deshalb Ihre Augen, konzentrieren Sie sich, und hören Sie seine Stimme.

Der Blinde beugt sich vom Fenster weg, nimmt einen Grashalm aus der Innentasche seines Sakkos und imitiert mit Hilfe des Grashalmes einen Bussard. Man hört einen langgezogenen, hohen Ton. Die Touristen vor dem Fenster applaudieren. Der Blinde wiederholt die Imitation einige Male, bis er einen roten Kopf bekommt. Der Tiroler Bergführer schließt das Fenster und gibt dem Blinden voller Herablassung ein paar Geldscheine.

DER TIROLER BERGFÜHRER:

Das nächste Mal kommt der Kuckuck pünktlich, oder es gibt einen Abzug.

Der Tiroler Bergführer geht eilig aus dem Raum.

11.

Der Tiroler Bergführer geht weg. Der Blinde geht mit dem Geld in einen Nebenraum. Wieder hört man das österreichische Berglied, gesungen mit deutschem Akzent. Es wird langsam leiser. Jasmine hält noch immer den halbverkohlten Hahn in der Hand. Der Blinde kommt in den Raum. Stille.

DER BLINDE:

Was halten Sie da in Ihrer Hand, Jasmine? Den Hahn? Ist er tot? Ja?

Jasmine läßt den Hahn in den Eimer fallen.

DER BLINDE:

Er war das Lieblingstier des Jungen. Er wollte Ihnen den Hahn zum Geschenk machen. Als ich ihn über Ihr Gewerbe aufklärte, ihm erzählte, was für ein verkommener Mensch Sie sind, daß Sie es mit jedem treiben, daß Sie ein käufliches Stück Fleisch sind, daß Ihr Geschlechtsteil einem Scheunentor gleicht, durch welches ganze Kompanien von Männern durchmarschiert sind, daß Sie vor keiner noch so grauenhaften Perversion haltmachen, als er dies alles vernahm, geriet er außer sich und verbrannte sein Lieblingstier vor mei-

nen Augen, oder besser gesagt, vor meiner
Nase.

Stille. Jasmine schaut zum Jungen und lächelt ihn an.
Der Junge erwidert ihr Lächeln.

DER BLINDE:

Was geht hier vor?

Stille.

DER BLINDE:

Jasmine, sehen Sie sich dieses rohe Stück Natur
doch genauer an. Er ist beschränkt und jähzor-
nig. Flache Stirn, flaches Hirn. Er kennt keine
Tiefe, keinen Hintergrund. Er nimmt alles für
bare Münze. Er kann sich nicht vorstellen, daß
sich hinter einer Hure eine Heilige verbergen
kann. Er versteht nichts von der Verwandlung,
von Interpretation, von Imitation. Er hat keine
Ahnung vom Theater.

Stille. Jasmine und der Junge lächeln einander an.

DER BLINDE:

Was macht ihr?

Stille.

DER BLINDE:

Als er vor einigen Jahren hier herauf kam, um
mir jenes Essen zu bringen, welches mir sein
geldgieriger Vater viel zu teuer verrechnet,
brachte er kein Wort heraus. Er war stumm. Ich

habe ihm das Reden beigebracht. Ich mußte ihn buchstäblich dressieren. Mehr als einen Satz hat er nie gelernt.

Stille. Jasmine und der Junge lächeln einander an. Der Blinde packt, mit einer Behendigkeit, die man ihm gar nicht zugetraut hätte, den Jungen am Nacken.

DER BLINDE:

Was gibt es Neues in der Welt? Was gibt es Neues in der Welt?

Der Junge wehrt sich.

DER BLINDE:

Was gibt es Neues in der Welt?

DER JUNGE: *(völlig mechanisch)*

Alle Menschen sind glücklich und leben in Frieden. Freudig gehen sie ihren Beschäftigungen nach.

DER BLINDE:

Das ist schön.

Der Blinde will den Kopf des Jungen an seine Schulter drücken und ihn streicheln. Der Junge wehrt sich, läuft davon, geht zu Jasmine und legt den Kopf an Jasmines Schulter. Jasmine streichelt ihn. Sie nimmt ihn an der Hand, geht mit ihm zur Tür, schaut noch einmal den Blinden an, nimmt ihren Koffer und verläßt mit dem Jungen den Raum.

12.

Jasmine und der Junge verlassen den Raum. Stille.
Durch die Glasfront des Verandazimmers sieht man,
wie die beiden vor dem Haus stehenbleiben. Jasmine
redet auf den Jungen ein. Der Junge geht weg. Jasmine
geht zurück ins Haus. Der Himmel verdunkelt sich, wie
es in den Bergen üblich ist, in Sekundenschnelle. Der
Blinde kriecht am Boden umher und tastet alles ab, als
könne er die beiden finden.

DER BLINDE: *(schreit)*

    Laßt mich nicht allein. Laßt mich nicht allein.
Der Blinde ertastet den Eimer und zieht das halbver-
kohlte Tier heraus. Er imitiert das Krähen eines Hah-
nes.

DER BLINDE:

    Ich bin ein Imitator. Ich imitiere die Stimmen
    von toten Tieren. Im Auftrage des Fremdenver-
    kehrsverbandes.
Er imitiert einen Auerhahn. Er imitiert einen Kuckuck.
Er imitiert eine Gebirgsdohle. Er imitiert eine Gemse. Er
imitiert einen Bussard. Stille. Jasmine kommt in den
Raum. Sie trägt ihr Haar, welches zu einem Knoten
zusammengebunden war, offen. Sie hat die Schuhe aus-
gezogen und trägt eine aparte Jacke über dem grünen

Kleid. Sie sieht wieder völlig anders aus. Sie stellt sehr vorsichtig ihren Koffer ab und ist ganz still. Der Blinde spürt, daß sie im Raum ist.

DER BLINDE:

Ich bin ein Imitator. Ich imitiere einen verlassenen Mann.

Er schluchzt. Stille.

DER BLINDE:

Ich imitiere das Schicksal eines Blinden.

Stille. Er äfft seine eigene Stimme nach.

DER BLINDE:

Ich belegte das Studium der Zeitungswissenschaften. Später nannte man diese Fachrichtung Publizistik.

Stille. Er schreit.

DER BLINDE:

Ich habe niemals Publizistik studiert. Ich hasse Journalisten.

Stille. Jasmine beobachtet ihn und rührt sich nicht.

DER BLINDE:

Ich habe nicht die geringste Ahnung, ob es die Insel Elugelab gibt oder nicht mehr gibt oder je gegeben hat. Die Geschichte vom Atombombenversuch in der Südsee habe ich im »Reader's Digest« gelesen.

Stille.

DER BLINDE:

Die Muschel gehörte einem Fremden. Er war zuerst in Mallorca und anschließend in den Bergen.

Stille.

DER BLINDE:

Ich war ein illegaler Nazi.

Stille.

DER BLINDE:

Ich habe einen Sprengstoffanschlag auf einen Telefonmasten verübt.

Stille.

DER BLINDE:

Die Sache ist buchstäblich ins Auge gegangen.

Stille.

DER BLINDE:

Nicht gleich, sondern erst im Laufe der Jahre.

Stille

DER BLINDE:

Freunde haben mich 1945 in dieses Haus gebracht, bis meine Entnazifizierung durch war.

Stille.

DER BLINDE:

Ich war nie ein richtiger Nazi.

Stille.

DER BLINDE:

Ich habe den Faschismus nur imitiert.

Stille.

DER BLINDE:

Ich bin ein Imitator.

Stille.

DER BLINDE:

Ich imitiere den Gang eines Blinden.

Er übertreibt seinen Gang. Stille.

DER BLINDE:

Ich imitiere die Kopfhaltung eines Blindes.

Er hält seinen Kopf besonders schief. Stille.

DER BLINDE:

Vielleicht ist meine Blindheit auch nur eine Imitation?

Stille. Jasmine starrt ihn an. Lange Zeit geschieht nichts. Der Blinde bewegt seine Hände langsam zur Brille, als wolle er sie abnehmen. Er läßt es im letzten Moment sein. Er lächelt.

DER BLINDE:

Still und finster, wie immer.

Stille.

JASMINE: *(zum Blinden)*

Willst du schon gehen? Der Tag ist ja noch fern.
Es war die Nachtigall und nicht die Lerche,
Die eben jetzt dein banges Ohr durchdrang;
Sie singt des Nachts auf dem Granatbaum dort.
Glaub, Lieber, mir: es war die Nachtigall.

Jasmine spricht die Julia, ohne Reclam-Heft, auswendig.
Sie spielt sie sehr schön. Der Blinde antwortet ihr, eben-
falls auswendig, und weniger pathetisch als beim ersten
Mal.

DER BLINDE:

> Die Lerche war's, die Tagverkünderin,
> Nicht Philomele; sieh den neid'schen Streif,
> Der dort im Ost der Frühe Wolken säumt.
> Die Nacht hat ihre Kerzen ausgebrannt.
> Der muntre Tag erklimmt die dunst'gen Höhn;
> Nur Eile rettet mich, Verzug ist Tod.

Die beiden spielen die Szene zu Ende. Lange Stille.

JASMINE:

> Sie haben es gespürt? Von Anfang an?

DER BLINDE:

> Was sollte ich gespürt haben?

JASMINE:

> Daß ich eine Schauspielerin bin.

Der Himmel über den Bergen verdunkelt sich wieder.
Die ersten Regentropfen klatschen gegen die Scheiben.

JASMINE:

> Ich liebe diese Stimmungen. Setzen wir uns.

Sie schiebt das Campingbett vor die Glasfront. Sie
nimmt ihn an der Hand, führt ihn zum Campingbett
und drückt ihn sanft aufs Bett. Sie nimmt Streichhölzer
aus ihrem Koffer, geht zur Petroleumlampe, nimmt das

Glas herunter, zündet den Docht an, stülpt das Glas
wieder hinauf und reguliert die Flamme. Sie setzt sich
neben den Blinden.

JASMINE:

Wie schön es hier ist. Diese Zeit zwischen spätem Nachmittag und beginnendem Abend ist mir am liebsten. Manchmal ziehe ich schon zu Mittag die Vorhänge meiner Wohnung zu, um diese Stimmung zu empfinden. Dann strecke ich mich auf einer Couch aus und gehe die Rolle durch, die Julia. Eigentlich übe ich sie jeden Tag, jahrein, jahraus, seit über dreißig Jahren. Ich habe sie nie auf einer Bühne gespielt, bin ich deshalb keine Schauspielerin? Ich habe drei Abtreibungen hinter mir. Der Beruf einer Schauspielerin und Kinder, das verträgt sich nicht. Mein erster Freund wollte auch Schauspieler werden. Wir machten gemeinsam die Aufnahmeprüfung im Seminar. Ihn haben sie genommen, mich nicht. Ich habe es dann mit Privatunterricht versucht. Mein Freund lebte an der Oberfläche, er war ohne Tiefe. Wir haben uns getrennt. Die Kunst und der Künstler brauchen Zeit, oft viele Jahre. Ich habe alles versucht. Ich habe mir die Adressen der Theater aus den Bühnenjahrbüchern besorgt, und ich habe alle angeschrieben, mit Fotos. Die wenigsten haben geantwortet. Wenn ich zu einem Vorsprechen eingeladen war, fuhr ich sofort hin. War viel zu früh dort. Mietete mich in einem billigen Hotel ein und wartete tagelang auf den Moment des Vorsprechens. Ich begann mit der Julia, womit sonst. In den ersten Jahren hörten sie geduldig zu und fragten mich, ob ich denn keine andere Rolle zum Vorsprechen hätte. Nein, ich hatte keine, denn ich wollte keine andere. Diese oder gar keine. Später unterbrachen sie mich, schon nach den ersten Sätzen. Sie begriffen nicht, daß diese Rolle nichts mit dem Alter zu tun hatte. Diese Rolle lebt von der Seele eines Menschen und nicht von seinem Aussehen. Die Julia ist in mir. Warum können sie das nicht verstehen? Sie saßen in ihren Theatern, hatten ihre Pfründe, ihre Beziehungen, ihre Cliquen und betrachteten mich, die ich außerhalb stand und zu niemandem gehörte, mit zunehmender Geringschätzung. Einladungen zum Vorsprechen kamen nur mehr sehr selten und blieben schließlich ganz aus. Ich ließ mich nicht beirren, ich schrieb weiter meine Bewerbungen, an alle Theaterleiter. Auch an solche, die es nicht mehr waren. Sie hätten es ja wieder werden können. Ich bekam keine einzige Antwort, mit einer Ausnahme. Vor ein paar Jahren hat mich ein sehr großes Theater zum Vorsprechen eingeladen, nach langer Zeit. Ich fuhr hin, ich sprach vor, die Julia, was sonst. Ich war mit der Szene zu Ende und hörte kein Wort von da unten. Lange Stille. Plötzlich die Stimme eines jungen Mannes: Gehen Sie bitte ins Verwaltungsbüro und lassen Sie sich eine Anweisung für den Ersatz der Fahrtspesen ausstellen, das Geld bekommen Sie an der Kassa. Ich konnte ihn in der Dunkelheit nicht erkennen, ein Scheinwerfer der Probebühne blendete mich, er stand neben dem Direktor, offensichtlich sein Assistent. Ich ging ins Verwaltungsbüro. Die Tür des Vorzimmers war offen. Ich hörte ein Lachen hinter der Tür, welches sofort aufhörte, als ich den Raum betrat. Es waren vier Damen anwesend. Eine saß hinter dem Schreibtisch, die anderen standen daneben. Es mußte sich wie ein Lauffeuer im Hause herumgesprochen haben, daß eine nicht mehr junge, oder soll ich sagen mittelalterliche Frau, die Julia vorgesprochen hat. Die Damen sahen mich an und lächelten. Ich spürte, wie unendlich lächerlich ich in ihren Augen war. Auch die Frau an der

Kassa sah mich an, mit diesem bestimmten Blick, und selbst der Portier, so schien es mir, konnte ein Lachen nicht unterdrücken, als ich an ihm vorbei ins Freie lief. Ich habe nie wieder ein Theater betreten. Ich blieb meiner Kunst treu, blieb bei meiner Julia, lernte keine andere Rolle hinzu, verbesserte die Julia von Tag zu Tag, von Jahr zu Jahr. Früher arbeitete ich als Sekretärin in einem Blindenverein, um mir privaten Unterricht leisten zu können. Aber was hilft mir ein Lehrer, der mich ständig überreden will, eine andere Rolle einzuüben? Niemand verstand mich, auch die Blinden nicht. Blinde sind mißtrauische Leute, immer haben sie Angst, daß man ihnen etwas wegnimmt. Ich will den Menschen nichts wegnehmen, ich will ihnen etwas schenken. Meine Kunst. Meine Julia. Was soll man machen, wenn man kein Geld hat? Da macht man eben so manches. Vor ein paar Monaten bin ich in ein teures Künstlerlokal gegangen, im ersten Bezirk. Selbstbewußt saßen die Schauspieler der großen Theater an ihren Tischen und erzählten sich gegenseitig von ihren Erfolgen und von den Mißerfolgen der nicht anwesenden Kollegen und merkten nicht, daß ich eine der ihren war, mehr noch, daß ich weit über ihnen stand. Daß ich, nach dreißig Jahren täglicher Arbeit an der Julia, eine Leistung zu bringen imstande war, wie man sie hier wohl noch nie auf einer Bühne gesehen hat. Einige Tische weiter saß ein Regisseur, den ich aus Zeitungen kannte, ich fixierte ihn mit meinen Augen, er sah mich an, und ich begann meine Lippen zu bewegen und die Julia zu sprechen, völlig tonlos, er hing an meinen Lippen, und ich flüsterte den Text. Über alle Tische hinweg flüsterte ich meine Julia, und plötzlich wendete er sich von mir ab. Er wendete sich ganz einfach von mir ab. Er war meine letzte Chance.

Sie schaut den Blinden an – flehentlich.

JASMINE:

Sie sind meine letzte Chance.

Stille. Sie nimmt ganz vorsichtig seine Brille ab. Man sieht seine weißen Augäpfel, ohne Pupillen. Sie fährt mit ihrer Hand vor seinen Augen hin und her. Die Augen sind tot. Sie schaut ihn an und bewegt ihre Lippen, tonlos. Es ist völlig still. Langsam, ganz langsam, hört man die ersten Worte und Sätze der Julia. Sie spielt ihm, sich immer freier fühlend, die Julia vor. Sie spielt außergewöhlich gut.

JASMINE:

…doch weg mit Förmlichkeit!

Sag, liebst du mich? Ich weiß, du wirst's bejahn,

Und will dem Worte traun; doch wenn du
   schwörst,
So kannst du treulos werden; wie sie sagen,
Lacht Jupiter des Meineids der Verliebten.
O holder Romeo! Wenn du mich liebst:
Sag's ohne Falsch! Doch dächtest du, ich sei
Zu schnell besiegt, so will ich finster blicken,
Will widerspenstig sein, und nein dir sagen,
So du dann werben willst: sonst nicht um alles.
Gewiß, mein Montague, ich bin zu herzlich;
Du könntest denken, ich sei leichten Sinns.
Doch glaube, Mann, ich werde treuer sein
Als sie, die fremd zu tun geschickter sind.
Auch ich, bekenn ich, hätte fremd getan,
Wär' ich von dir, eh' ich's gewahrte, nicht
Belauscht in Liebesklagen. Drum vergib!
Schilt diese Hingebung nicht Flatterliebe,
Die so die stille Nacht verraten hat.

Schweigen. Der Regen peitscht gegen die Scheiben des Verandazimmers. Langes Schweigen.

JASMINE:

Hätten Sie mich genommen?

Schweigen.

DER BLINDE:

Ja.

Jasmine steht vor dem Blinden. Sie verdeckt ihr Gesicht mit den Händen. Es hört auf zu regnen. Lange Stille.

DER BLINDE:

Du weißt, wer ich bin?

Jasmine legt ihr Gesicht in die Hände des Blinden.

JASMINE:

In deinen Unterlagen im Blindenverein stand in der Rubrik »Beruf« neben Reiseführer, Tellerwäscher und Journalist auch Theaterdirektor. Ich wußte nicht, was ich davon halten sollte. Aber dann habe ich deinen Namen in einem alten Bühnenjahrbuch gefunden. Nach dem Kriege warst du Direktor eines kleinen Theaters in der Provinz.

DER BLINDE:

Ich war Intendant eines Dreispartenbetriebes, immerhin.

Der Blinde lacht. Während des folgenden Dialoges kommen beide immer wieder ins Lachen.

DER BLINDE:

Schauspiel, Oper, Ballett.

JASMINE:

Du warst der letzte, bei dem ich es noch versuchen konnte.

DER BLINDE:

Wenn mein Sehvermögen nicht so rapide nachgelassen hätte, hätte ich ein größeres Haus kriegen können.

JASMINE:

Ich habe gelesen, in einer alten Theaterzeitung habe ich gelesen, daß du nur kurz Direktor warst. Du hast unrichtige Angaben gemacht, in deiner Bewerbung.

DER BLINDE:

Stimmt. Ich habe meine Nazivergangenheit ausgelassen.

JASMINE:

Nein, du hast einen Amerika-Aufenthalt erfunden, mit Regieerfahrung am Broadway.

DER BLINDE:

Tatsächlich? Es ist alles so lange her.

Die beiden umarmen einander. Der Blinde streichelt Jasmine.

JASMINE:

Weißt du eigentlich, wen du gerade umarmst?

DER BLINDE: *(zärtlich)*

Eine etwa fünfzigjährige, verrückte Frau, eine völlig erfolglose Schauspielerin mit einer ziemlich unförmigen Figur.

Stille.

DER BLINDE:

Und du? Weißt du, wen du umarmst?

JASMINE:

Ja. Einen alten Mann. Verlogen, blind und im-
potent.

*Stille. Jasmine und der Blinde halten sich aneinander
fest. Lange Stille. Sie lösen sich voneinander. Der Blinde
geht in den Nebenraum. Jasmine öffnet ein Fenster, setzt
sich aufs Campingbett und schaut in den Himmel.
Sterne stehen am Firmament. Der Blinde kommt mit
einem Kofferradio aus dem Jahre 1956 in den Raum. Er
setzt sich auf das Campingbett und stellt den Radioapparat daneben. Er drückt auf eine Taste. Man hört
nichts. Jasmine nimmt das Radio und dreht an den
Knöpfen. Nichts rührt sich. Sie sieht nach; es ist keine
Batterie im Radio. Sie stellt das Radio neben das Campingbett. Die beiden schauen in den Sternenhimmel. Es
ist vollkommen still.*

13.

Stille.

JASMINE:

Wann warst du das erstemal batterielos?

Stille.

JASMINE:

Wenn man nichts von der Welt weiß, kann man ja eine neue erfinden. Du weißt, ich bin so gut im Ausdenken.

DER BLINDE:

Das erstemal war ich von Anfang 1962 bis Mitte 1964 batterielos.

JASMINE:

Weißt du, was damals geschah?

DER BLINDE:

Ich glaube, es war die Zeit der Kuba-Krise. Oder war die später?

JASMINE:

Aber nein. Damals haben wir uns kennengelernt. Ich habe dir vorgesprochen. Du hast mir zugehört, vom Anfang bis zum Schluß. Du sagtest kein Wort. Es war vollkommen still. Ich ging nach vorn, an den Rand der Probebühne. Stille. Ich nahm meinen ganzen Mut zusammen. Habe ich Ihnen nicht gefallen? fragte ich. Wieder Stille. Und plötzlich sagtest du einen Satz, einen einzigen Satz. Gehen Sie ins Direktionsbüro und sagen Sie meiner Mitarbeiterin, daß Sie engagiert sind. Ich hätte dich umarmt, wenn die Probebühne nicht so hoch gewesen wäre.

Stille.

JASMINE:

Und weiter. Wann sind dir die Batterien wieder ausgegangen?

DER BLINDE:

Im Jahre 1968.

JASMINE:

Ja, ja, achtundsechzig. Du hattest inzwischen ein größeres Theater übernommen. Du hast »Die Räuber« inszeniert, mit mir als Amalie. Die Mohr'sche Räuberbande war ein Haufen revoltierender Studenten, lauter ganz junge Leute, darunter sogar ein paar Nichtschauspieler, echte Studenten. Es war ein schreckliches Durcheinander. Auch wir beide hatten eine völlig unterschiedliche Auffassung von meiner Rolle. Wir haben uns gestritten und wieder versöhnt. Es war wunderbar. Die Kritiken waren eher gemischt. Weiter. Weiter.

DER BLINDE:

Warte, ich muß raten. Fünfundsiebzig?

Man hört das Geräusch eines näherkommenden Mopeds. Die beiden sind so in ihr Spiel vertieft, daß sie es nicht wahrnehmen.

JASMINE:

Leider hatten wir damals kein eigenes Haus. Wir stellten ein Programm zusammen und zogen damit über die Lande. Du hast inszeniert. Ich spielte alle Rollen. Es dauerte vier Stunden. Die Kritik hat uns vernichtet. Wir hatten uns geschworen, keine Zeitungen mehr zu lesen. Aber ich habe es nicht durchgehalten. Ich ging nachts zum Bahnhof, um mir eine Zeitung zu kaufen. Und wer stand neben dem Kiosk und las die Kulturseite? Du. Im ersten Moment sind wir beide richtig erschrocken, aber dann fielen wir uns lachend in die Arme.

DER BLINDE:

Das nächste Jahr, in welchem mir die Welt abhanden gekommen war, weil ich keine Batterien mehr hatte, war das Jahr 1986, ab dem Juni. Das weiß ich ganz genau. Als Tschernobyl passierte, habe ich mir lange überlegt, ob ich überhaupt neue bestellen soll.

JASMINE:

1986. Das größte Theater dieses Landes, das Nationaltheater, wurde frei. Nach unvorstellbaren Intrigen, wüstesten Pressekampagnen und politischen Interventionen von höchster Stelle hat man dir das Nationaltheater angeboten. Dir wurde die Leitung des Nationaltheaters übertragen. Wir sind dort eingezogen. Du hast mit Romeo und Julia eröffnet, mit mir als Julia, ein unglaubliches Risiko. Alle saßen sie im Zuschauerraum, die mich belächelt und verachtet hatten, und warteten auf meine Niederlage. Ich stand in der Gasse und dachte, ich sterbe. Ich ging hinaus und sprach den ersten Satz.

Stille.

JASMINE:

Was soll ich sagen, es wurde ein unbeschreiblicher Triumph.

Jasmine nimmt den Blinden an der Hand. Die beiden verbeugen sich, immer wieder. Stille. Der Junge kommt leise in den Raum. Er hat eine Ledermontur an und einen Mopedhelm unter dem Arm. Mit der anderen Hand hält er eine Schachtel. Die beiden bemerken ihn nicht. Stille. Jasmine und der Blinde verbeugen sich immer wieder.

JASMINE:

Wir sind im Olymp.

DER BLINDE:

Wir sind die Größten. Wir sind Weltmeister.
Wir sind das beste Theater der Welt.

*Stille. Jasmine sieht den Jungen. Sie hört sofort auf, sich
zu verbeugen. Sie läßt die Hand des Blinden aus und
öffnet ihren Koffer. Der Blinde verbeugt sich noch ein
paarmal und hört dann auch damit auf.*

DER BLINDE:

Was geht hier vor?

DER JUNGE:

Die Dame hat gesagt, ich soll sie abholen. Wir
fahren weg.

*Jasmine holt den Tigerpelzmantel aus ihrem Koffer und
zieht ihn an. Sie stülpt sich die Rothaarperücke über
den Kopf. Der Blinde klammert sich an Jasmine. Sie
befreit sich von ihm. Zuerst sanft, dann mit Nachdruck.*

DER BLINDE:

Jasmine, ich bitte dich, ich flehe dich an. Bleib
bei mir. Ich leide.

*Jasmine schließt ihren Koffer und geht zur Tür. Der
Blinde imitiert die Schreie eines Esels. Es klingt schrecklich.*

DER BLINDE:

Jasmine. Der Schmerz ist echt. Keine Imitation.

Der Blinde kriecht zur Tür. Er umfaßt die Beine des Jungen.

DER BLINDE:

> Mein Junge, bleib bei mir. Ich bitte dich. Du kannst sagen, was du willst. Was dir gerade einfällt. Jeder Satz ist erlaubt. Was wolltest du mir sagen? Wer brennt? Der Himmel brennt? Tatsächlich? Ich habe ja keine Batterien. Ich weiß ja nicht, was in der Welt vorgeht. Haben sie Fidel Castro erschossen oder aufgehängt? Haben die Deutschen eine neue Mauer gebaut, diesmal um ganz Deutschland herum? Wer tötet wen? Die Kroaten die Serben? Die Serben die Kroaten? Die Italiener die Albaner? Die Iraker die Kurden? Wer verhaftet wen? Die Putschisten die Reformer? Die Reformer die Putschisten? Oder haben sich alle wiedervereinigt? Was ist los da unten?

Der Junge wirft dem Blinden die Schachtel mit Batterien hin. Die Batterien fallen aus der Schachtel und liegen verstreut am Boden. Der Blinde kniet nieder und tastet die Batterien ab. Er steht auf und geht zur Wand. Er nimmt den Trachtenhut vom Haken, stellt sich ungefähr einen Meter neben den Spiegel, starrt zur Wand und probiert den Hut. Es dauert einige Zeit, bis er mit dem Sitz des Hutes zufrieden ist. Er geht zu Jasmine und

dem Jungen, streckt die Arme von sich und erwartet,
daß man ihn an der Hand nimmt.

DER BLINDE:

Ich gehe mit euch.

Jasmine und der Junge rühren sich nicht. Der Blinde
steht mit ausgestreckten Armen da. Stille.

DER BLINDE: *(schreit)*

Laßt mich doch nicht allein. Ich werde elendig-
lich verrecken. Jeder Versuch, einen kleinen
Schritt ins Tal zu machen, wird mich töten. Ich
werde brüllen, vor Hunger und Durst, und die
Leute im Dorf werden es für meine neueste
Imitation halten.

Der Junge setzt den Mopedhelm auf. Jasmine steht
unentschlossen an der Tür.

DER BLINDE:

Was willst du da unten, Jasmine? So lange auf
den Strich gehen, bis man dir zwischen die
Beine spuckt? Ein allerletztes Mal vorsprechen?
Zurück in den Blindenverband gehen und le-
benslänglich übersehen werden? Wie sagtest
du? Wir sind im Olymp. Du hast recht, Jasmine.
Wir sind im Olymp. Wir sind die Götter. Die
Theatergötter. Wir müssen spielen. Der Narben
lacht, wer Wunden nie gefühlt. Zweiter Aufzug.
Zweite Szene. Romeo kommt.

Doch still, was schimmert durch das Fenster
   dort?
Es ist der Ost und Julia die Sonne! –
Geh auf, du holde Sonn'! ertöte Lunen,
Die neidisch ist und schon vor Grame bleich,
Daß du viel schöner bist, obwohl ihr dienend.

Jasmine beobachtet den Blinden, wie er den Romeo spielt.
Sie räumt die Batterien in die Schachtel und gibt sie dem
Jungen. Der Junge läuft aus dem Raum. Jasmine und der
Blinde spielen die berühmteste aller Theaterszenen, die
sogenannte Balkonszene. Er mit Trachtenhut, und sie mit
roter Perücke und im Tigerpelzmantel. Sie spielen so gut
wie noch nie. Man hört das Geräusch des fahrenden
Mopeds. Es wird lauter und lauter. Jasmine bricht das
Spiel ab und läuft zum offenen Fenster. Der Junge rast mit
Vollgas die Straße hinunter. Es ist nur noch eine Frage von
Sekunden, bis er gegen einen Baum oder einen Felsen
kracht. Jasmine schreit auf und schließt in einer Art
Panik schnell das Fenster. Stille. Der Blinde geht langsam
zum Fenster und öffnet es. Von draußen hört man keinen
Laut. Nur der Widerschein eines Feuers flackert zwi-
schen den Felsen. Ein kleines Alpenglühen. Stille. Der
Blinde dreht sich weg vom Fenster, schaut ins Publikum,
hält den Kopf schief und lächelt.

DER BLINDE:
Still und finster, wie immer.

Peter Turrini wurde 1944 in St. Magarethen/Kärnten geboren. Aufgewachsen ist er in Maria Saal. 1963 Matura in Klagenfurt. 1963–71 verschiedene Berufe. Lebt seitdem als freier Schriftsteller meist in Wien. 1981 Gerhart-Hauptmann-Preis.

Peter Turrini im Luchterhand Literaturverlag

Mein Österreich
Reden, Polemiken, Aufsätze
191 Seiten. Sammlung Luchterhand 811

Die Minderleister
Luchterhand Theater
136 Seiten. Broschur
»Es gibt sicher wenig vergleichbare heutige Dramen, die unsere
Geschichte so sinnkräftig und theaterwirksam auf die Bühne
wuchten.« *Thomas Thieringer, Süddeutsche Zeitung*

Rozznjagd/Rattenjagd
Ein Stück
Luchterhand Theater
80 Seiten. Broschur

Tod und Teufel
Eine Kolportage
Luchterhand Theater
96 Seiten. Broschur
Im Mittelpunkt von Turrinis neuem Stück steht der Kleinstadt-
pfarrer Christian Bley, der aufgebrochen ist, die Sünde zu suchen.

Peter Turrini
Texte, Daten, Bilder
Herausgegeben von Wolfgang Schuch und Klaus Siblewski
184 Seiten. Sammlung Luchterhand 960

Luchterhand Theater

Günter Grass
Die Plebejer proben den Aufstand
Ein deutsches Trauerspiel. 112 Seiten. Broschur

Alfred Jarry
König Ubu
Ein Drama in fünf Akten. 72 Seiten. Broschur

David Mamet
Die Gunst der Stunde
Ein Stück in drei Akten
Deutsch von Bernhard Samland. 88 Seiten. Broschur

John Osborne
Der Entertainer
Deutsch und mit einem Nachwort von Helmar H. Fischer
128 Seiten. Broschur

Blick zurück im Zorn
Deutsch und mit einem Nachwort von Helmar H. Fischer
128 Seiten. Broschur

Oskar Panizza
Das Liebeskonzil
Eine Himmels-Tragödie in
5 Aufzügen. 112 Seiten. Broschur

Ljudmila Petruschewskaja
Cinzano
Theaterstück in zwei Teilen
Deutsch und mit einem Nachwort von Rosemarie Tietze
72 Seiten. Broschur

Matthias Zschokke
Brut
Schauspiel mit Musik. 88 Seiten. Broschur

Ernst Jandl im Luchterhand Literaturverlag

Gesammelte Werke
Gedichte, Stücke, Prosa
Herausgegeben von Klaus Siblewski
3 Bände. 2468 Seiten. Broschur
»Ernst Jandl nimmt sich aus wie die letzte, noch nicht geschleifte
Bastion der literarischen Moderne. Schon deshalb ist es wichtig,
daß seine über Jahrzehnte verstreuten Arbeiten, teils noch gar
nicht veröffentlicht, nun gesammelt verfügbar sind.«
Michael Scharang, Der Spiegel

ernst jandl für alle
254 Seiten. Sammlung Luchterhand 566

idyllen
Gedichte
208 Seiten. Broschur

Laut und Luise
200 Seiten. Gebunden
Luchterhand Bibliothek

stanzen
gedichte
144 Seiten. Broschur

Ernst Jandl
Texte, Daten, Bilder
Herausgegeben von Klaus Siblewski
200 Seiten. Sammlung Luchterhand 907

Alois Hotschnig im Luchterhand Literaturverlag

Aus / Eine Art Glück
Zwei Erzählungen
144 Seiten. Sammlung Luchterhand 1052
Durch diesen Band hat sich Alois Hotschnig »schlagartig in die
vorderste Reihe der deutschsprachigen Gegenwartsautoren
katapultiert«. *Thomas Rothschild, Frankfurter Rundschau*

Leonardos Hände
Roman
233 Seiten. Gebunden
Vom Klagenfurter Preisträger: die prekäre Liebesgeschichte zwi-
schen Täter und Opfer. Ein Debütroman voller Spannung und
Intensität. Buch des Monats.

Michael Scharang im Luchterhand Literaturverlag

Auf nach Amerika
Roman
267 Seiten. Gebunden
Liebe und Flucht aus Österreich: Michael Scharang erzählt die Geschichte eines ungleichen Paars und entwirft ein bitteres Panorama von den Verhältnissen in seinem Land.

Charly Traktor
Roman
131 Seiten. Sammlung Luchterhand 573
»Mit geradezu unheimlicher Genauigkeit demonstriert Scharang, wie es einem ergeht, der nicht sagen kann, woran er leidet.«
Michael Krüger

Harry
Eine Abrechnung
114 Seiten. Gebunden

Die List der Kunst
Essays
102 Seiten. Sammlung Luchterhand 615

Das Wunder Österreich
oder Wie es in einem Land immer besser
und dabei immer schlechter wird
Essays, Polemiken, Glossen
192 Seiten. Sammlung Luchterhand 955
Aufsätze aus den Jahren 1986 und 1987: eine zugespitzte Geschichte der Republik Österreich der achtziger Jahre.

Waltraud Anna Mitgutsch im Luchterhand Literaturverlag

Ausgrenzung
Roman
280 Seiten. Gebunden
»Waltraud Anna Mitgutsch erzählt ihre Geschichte mit packendem Furor – und schonungslos.«
Barbara von Becker, Süddeutsche Zeitung

In fremden Städten
Roman
248 Seiten. Gebunden
Waltraud Anna Mitgutsch analysiert in ihrem neuen Roman feinfühlig ein weit verbreitetes Lebensgefühl: das Gefühl des Fremdseins und der Sprachlosigkeit.
»Anna Mitgutsch schreibt aus dem Zentrum des Schmerzes, und sie schreibt, als ginge es um ihr Leben.«
Erich Hackl, DIE ZEIT